Une Histoire d'Amour

lorraine sorlet

사랑의 시간들

로렌 소르레 지음

iiii

로렌 소르레
Lorraine Sorlet

고블랑 미술학교에서 그래픽 디자인과 모션 디자인을 공부했다.
젊은 여성들, 커플들 그리고 고양이를 그린다.
주로 물감과 그래픽 태블릿으로 작업하는 유쾌한 팝의 세계는
청춘의 다양한 순간들과 도발적인 사랑들을
자신만의 시선으로 우아하게 표현한다.
개인 프로젝트를 진행하면서 동시에 《뉴욕타임스》, 나이키, 구찌 등
글로벌 기업과 콜라보레이션도 활발히 진행하고 있다.
로렌은 '사랑은 세상을 움직이는 힘'이라고 말한다.
한없이 부드러우면서도 장난기 어린 그녀의 페인팅은
이미지 컷이든 코믹 스트립이든, 육체의 달콤함을 침묵으로 표현하여
사랑으로 가득 찬 순간을 포착한다.
일상생활뿐만 아니라 제인 오스틴, 브론테 자매의 책과
1930년대 미국의 그림들, 특히 에드워드 호퍼의 작품에서 영감을 얻는다.

저는 4년 전부터 일러스트레이터로 활동하고 있습니다.
제가 기억할 수 있는 가장 먼 기억 속에서도 저는 항상 그림과 함께했습니다.
쌍둥이 자매인 아가트와 저는 어릴 때부터 그림을 그렸습니다.
그림은 오래전 저희 안에 이미 살고 있었던 겁니다.
유치원을 다닐 때 '감자 아줌마' 그림을 그려 선생님께 칭찬을 받았는데
이것이 제 인생의 첫 번째 기억입니다.

그 후로 저는 모든 것을 감싸 안은 듯한 둥글고 단순한 형상을 그리는 것을 좋아합니다.
제 그림은 따뜻하고 순수합니다. 제가 사용하는 선과 색이 생각과 감정을 전하는 데 쓰이길 바랍니다.

그림은 오해가 많이 없는 언어입니다. 말로는 모든 걸 다 표현할 수 없으니까요.
그래서 추억이나 느낌을 종이 위에 그리는 것이 더 정확할 수 있습니다.
저는 이 책이 이런 순수함을 전할 수 있기를 바라며 만들었습니다.

여러분 모두가, 어느 나이든 어느 곳에서 살든
여러분의 감정을 이 책에서 발견할 수 있기를 바랍니다.
모든 사랑 이야기는 특별하지만
거기엔 누구나 겪는 순간들이 있고, 그 순간들은 우리를 하나로 만듭니다.

키스하고, 안아주고, 서로 바라보고, 산책하고, 요리하고……
이것은 누군가를 사랑하는 우리들의 이야기입니다.

Lorraine Sorlet

Te Rencontrer

#설렘

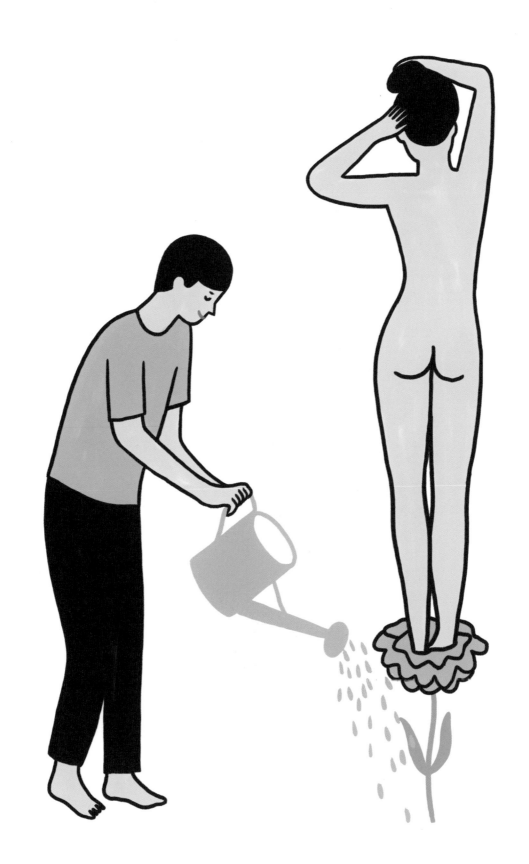

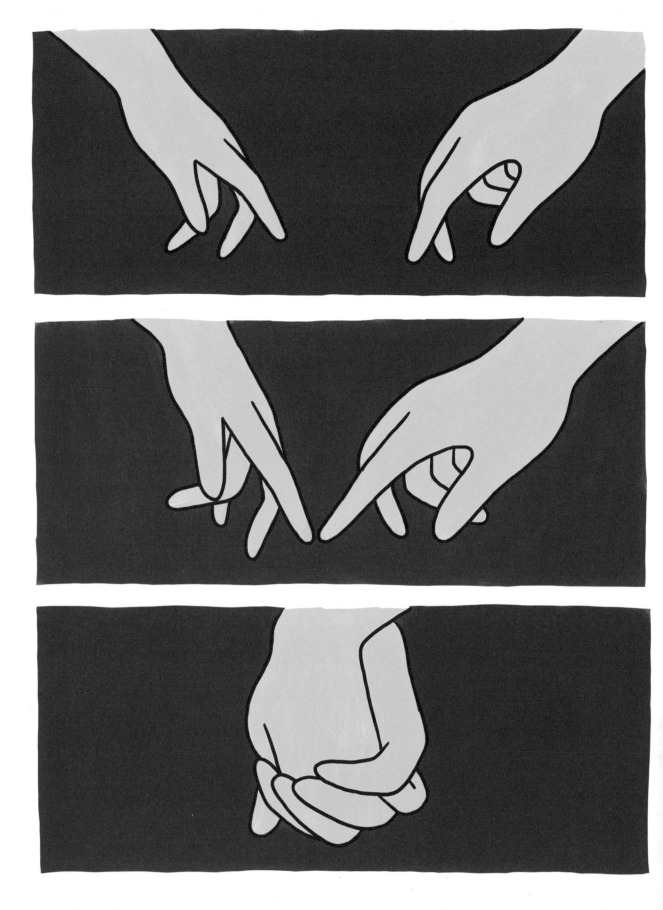

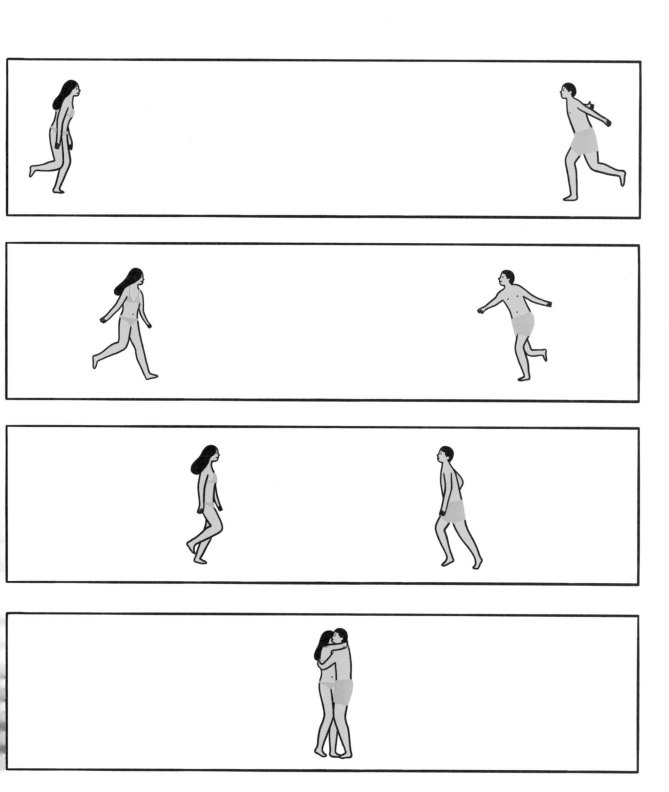

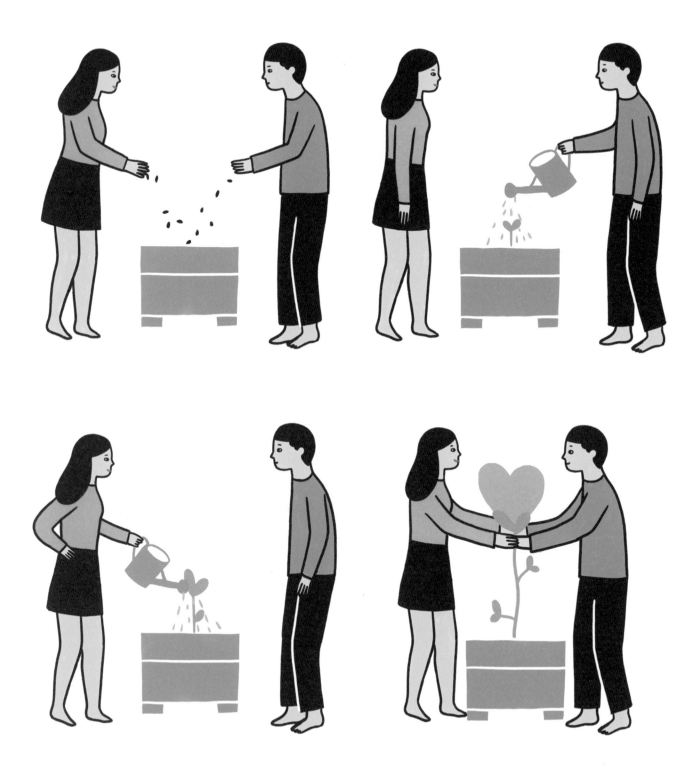

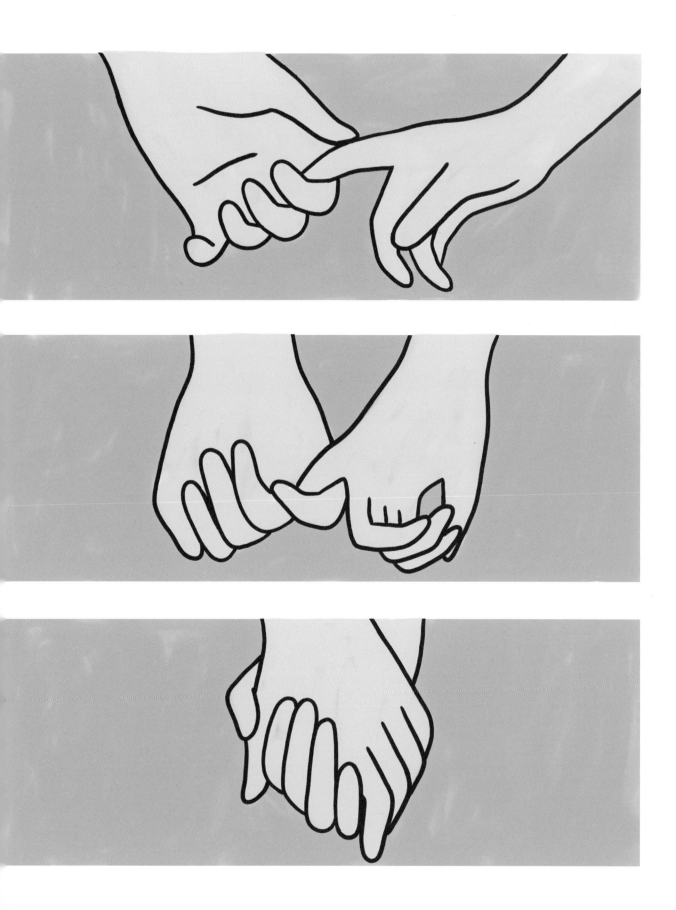

Te Câliner

#둥근허그

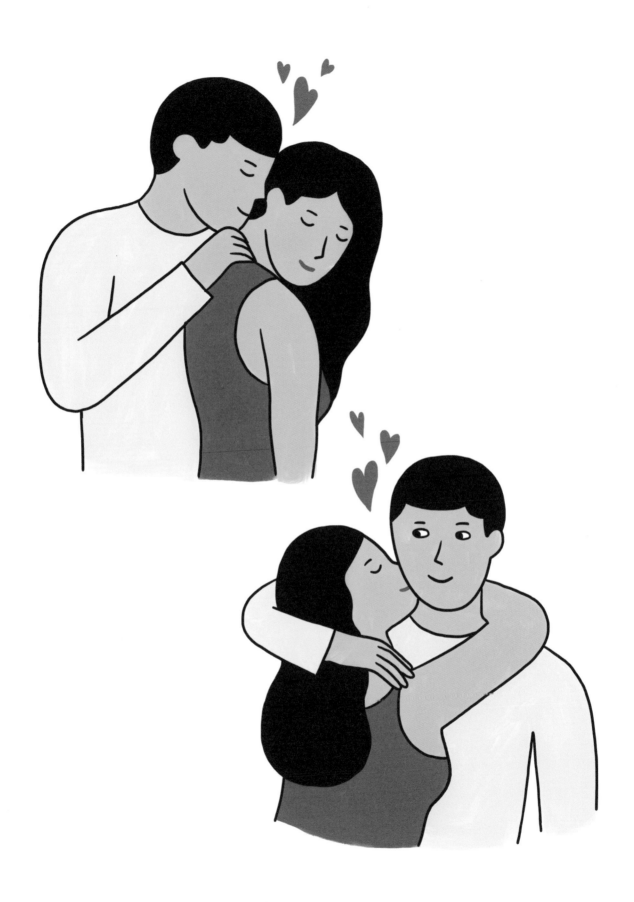

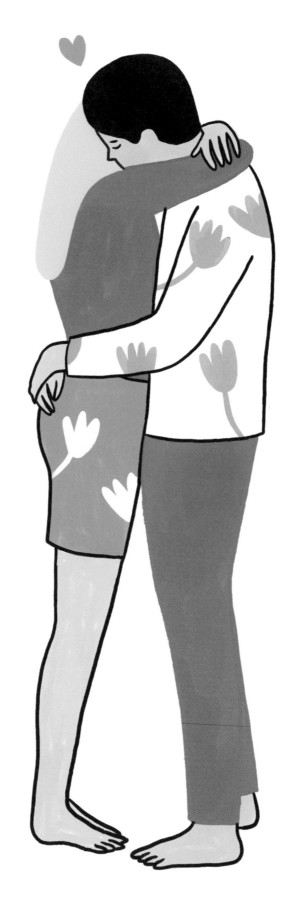

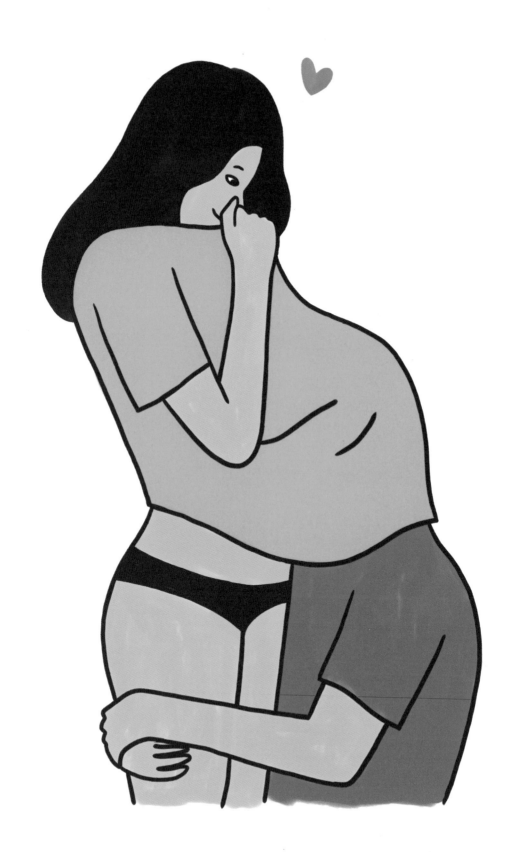

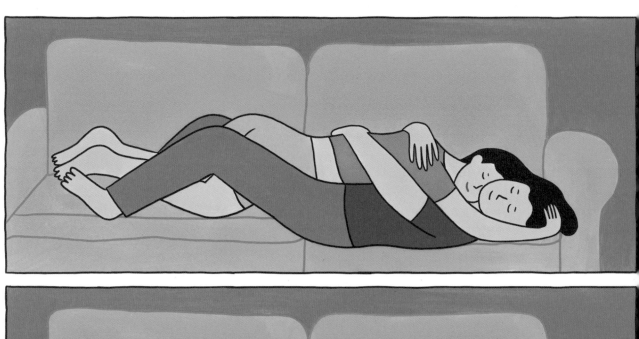
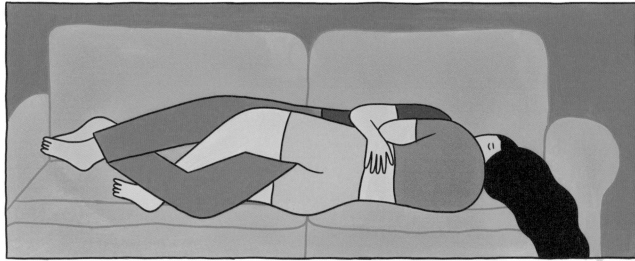
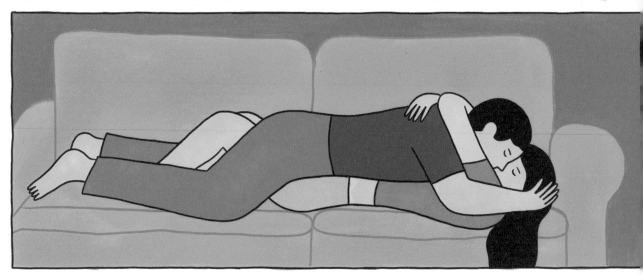

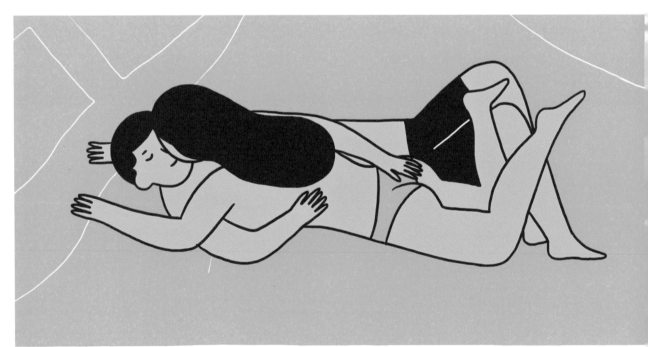

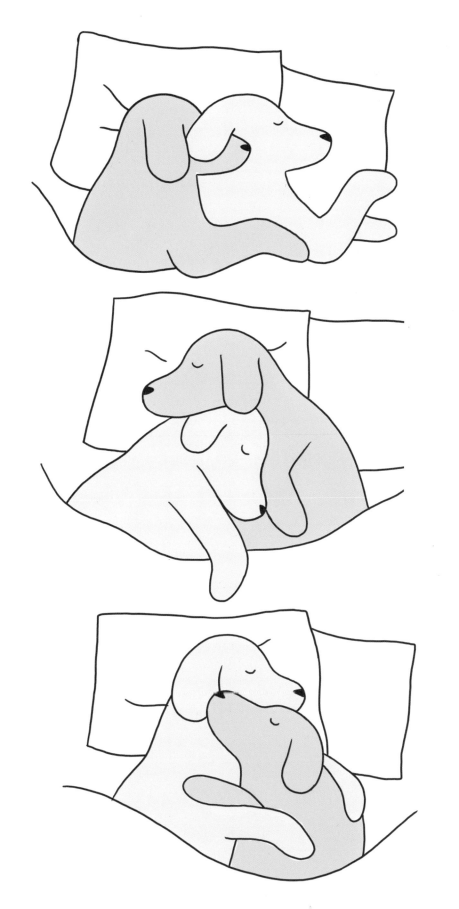

T'embrasser

#프렌치키스

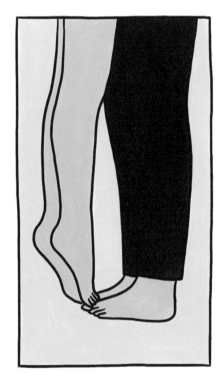

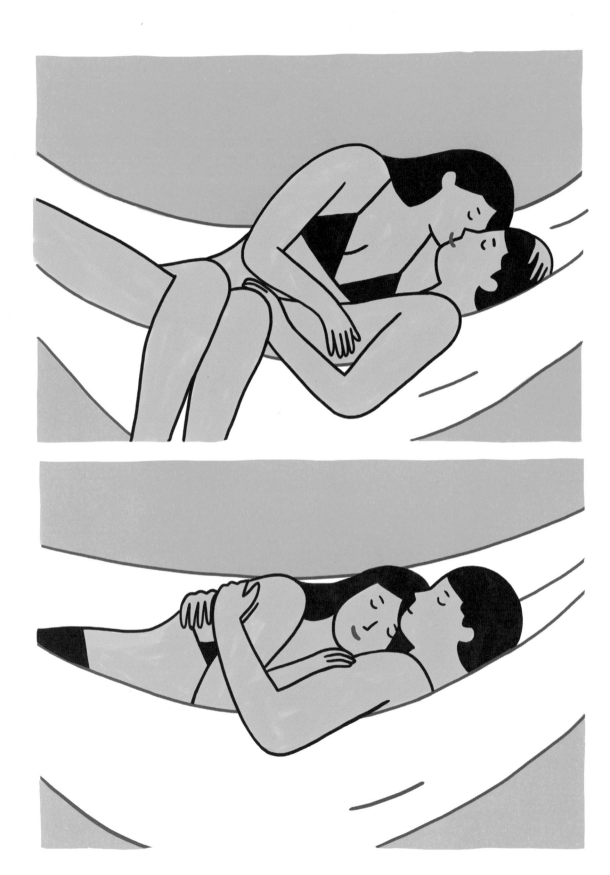

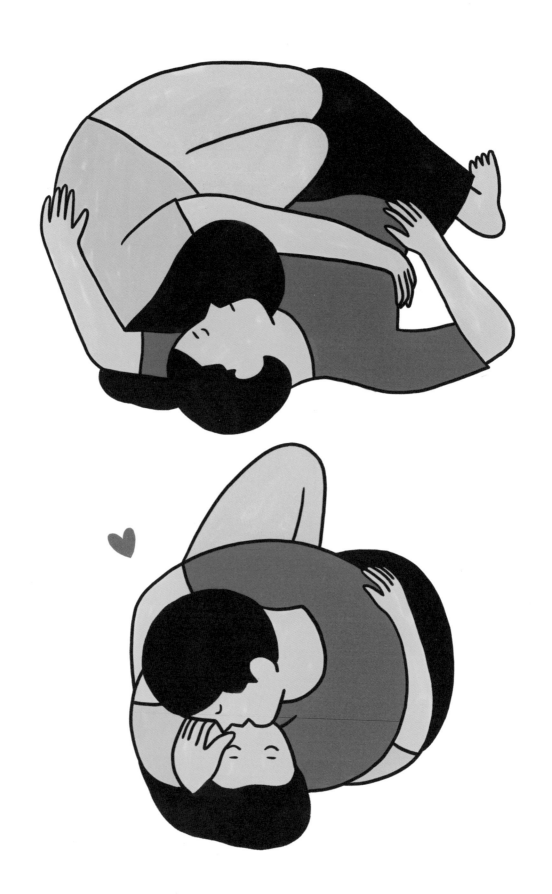

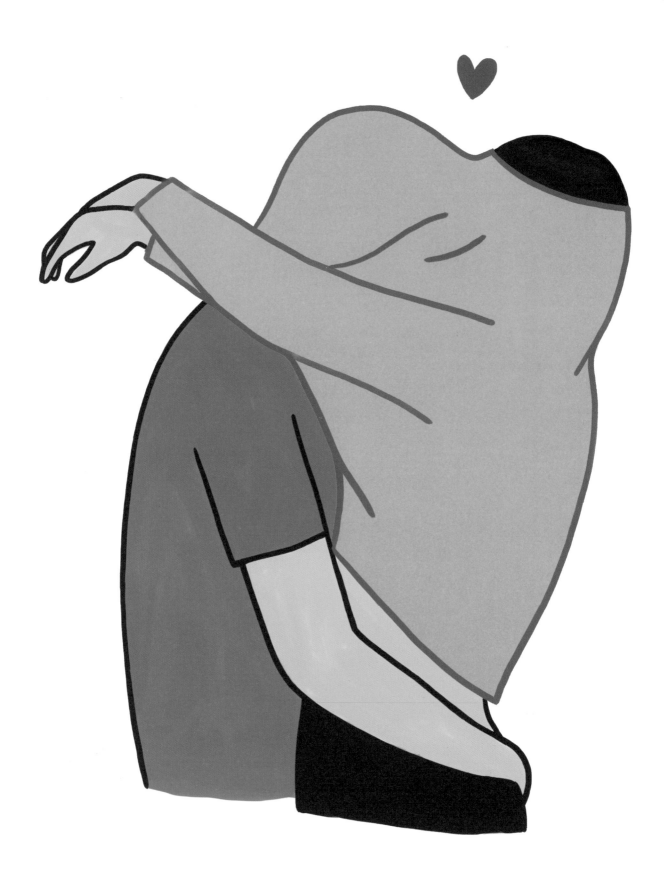

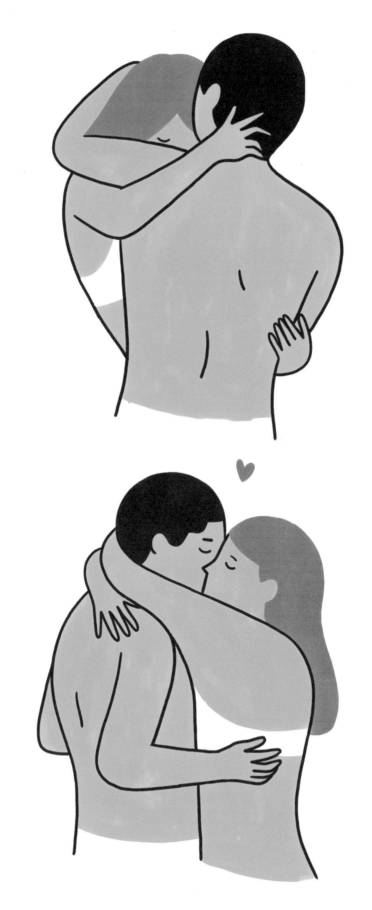

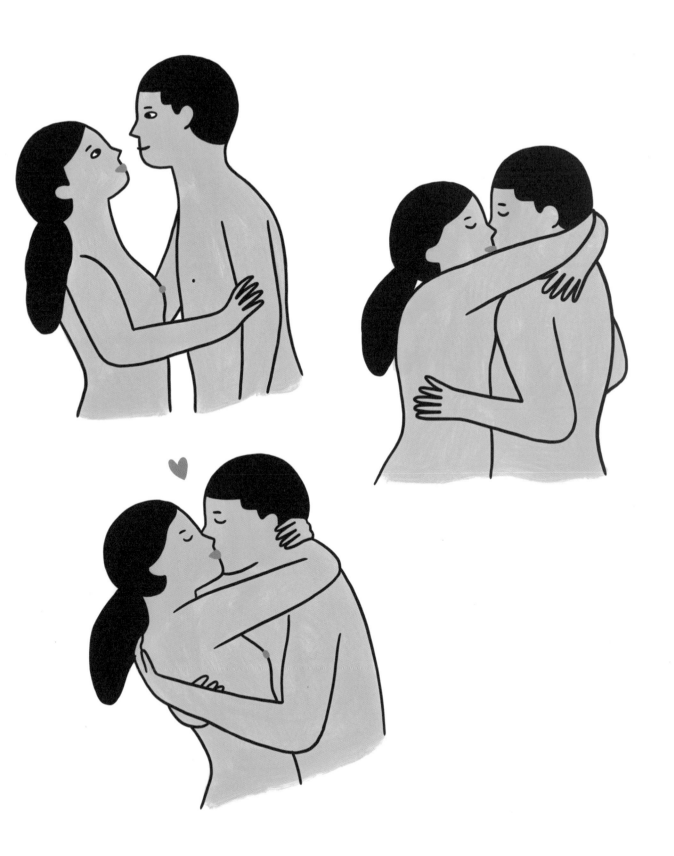

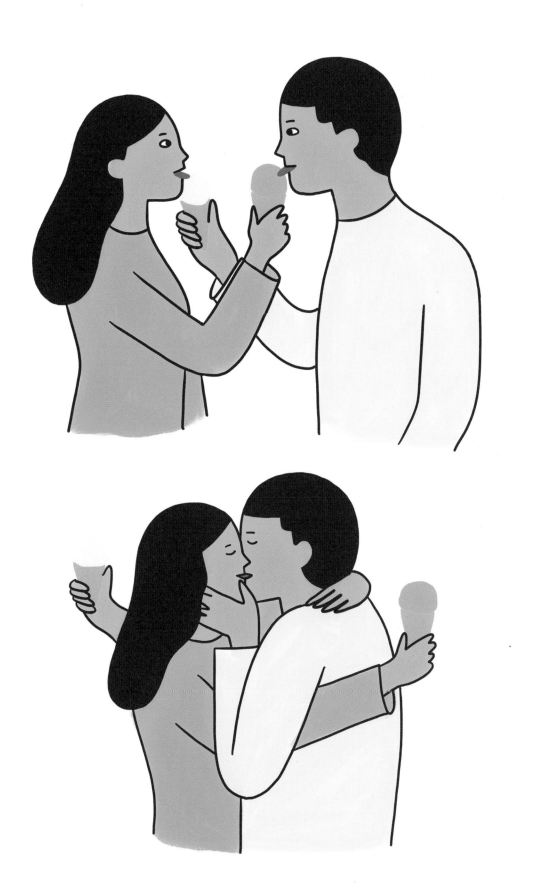

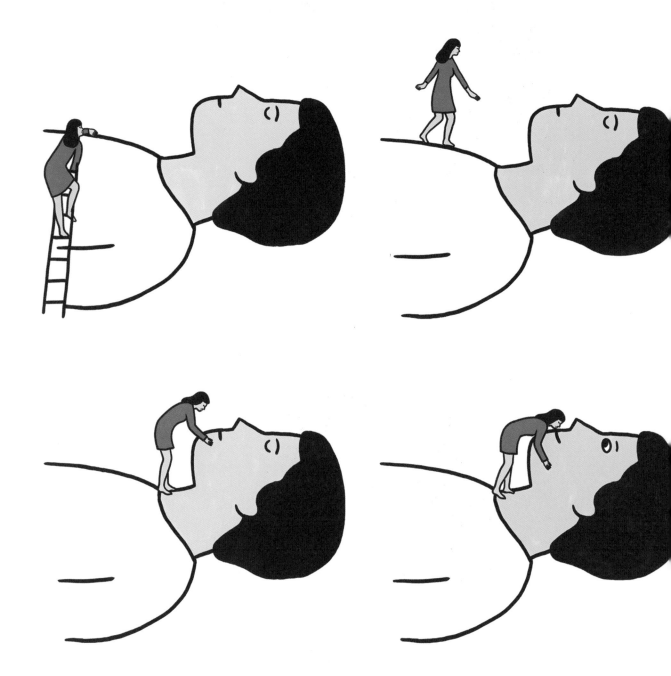

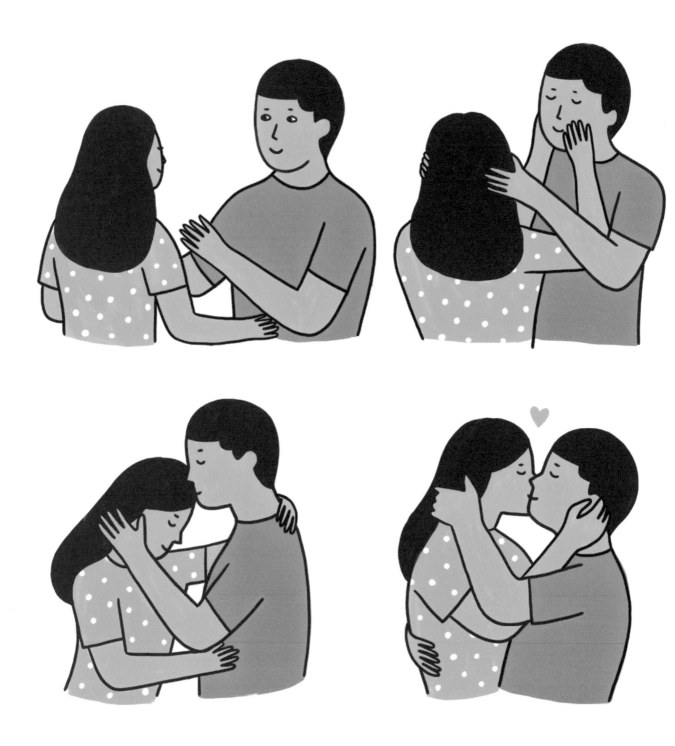

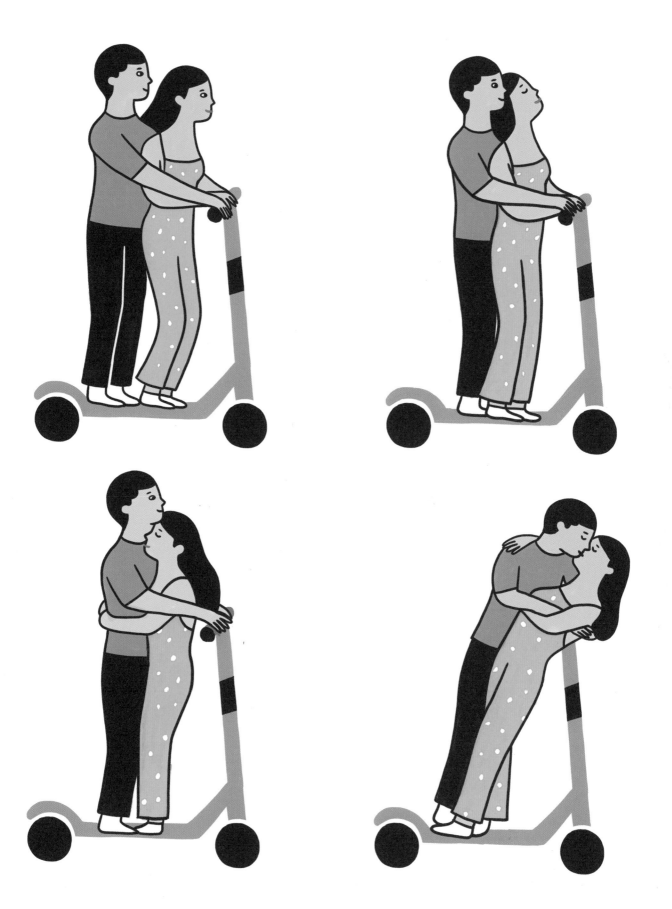

T'aimer

#비마이셀프

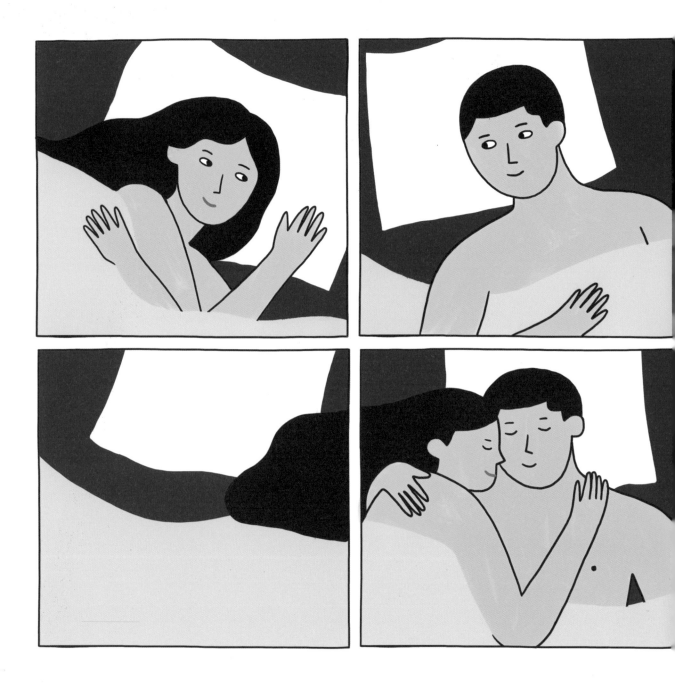

Une Histoire d'Amour by Lorraine Sorlet

© Éditions Robert Laffont, Paris, 2020

This Korean edition is published by The initiative in 2021 by arrangement with Éditions Robert Laffont through Milkwood Agency.

이 책의 한국어판 저작권은 밀크우드 에이전시를 통해 저작권사와 독점 계약을 맺은 디 이니셔티브에 있습니다.

저작권법에 의해 한국 내에서 보호를 받는 저작물이므로 무단전재와 복제를 금합니다.

사랑의 시간들

초판 1쇄 발행 2021년 2월 2일

지은이 로렌 소르레 ∘ 옮긴이 디파스칼 브노아, 정민영 ∘ 펴낸이 나현숙

펴낸곳 디 이니셔티브 ∘ 출판신고 2019년 6월 3일 제2019-000061호 ∘ 주소 서울시 용산구 이태원로 211 708호

전화, 팩스 02-749-0603 ∘ 이메일 the.initiative63@gmail.com ∘ 페이스북, 인스타그램 @i.publisher

ISBN 979-11-968484-6-0 03650

∘

이 책은 저작권법에 따라 보호를 받는 저작물이므로 무단전재와 복제를 금지하며

이 책의 전부 혹은 일부를 이용하려면 반드시 저작권자와 디 이니셔티브의 서면 동의를 받아야 합니다.

∘

잘못된 책은 구입하신 곳에서 바꾸어 드립니다.

∘

디 이니셔티브는 보다 나은 미래에 도전하는 콘텐츠 퍼블리셔입니다